KT-371-840

Ce livre appartient à

RETROUVEZ

titeuf

DANS LA BIBLIOTHÈQUE ROSE

c'est pô une vie...

même pô mal...

c'est pô croyab'

c'est pô malin...

pourquoi moi ?

les filles, c'est nul...

tchô, la planète !

ZEP

Adaptation : Shirley Anguerrand

Hachette Livre, 43, quai de Grenelle, 75015 Paris.

1

Je pensais tout le temps à Nadia. Surtout en classe. Et en particulier pendant des cours comme la géo ou l'histoire. En fait j'y pensais même pendant les autres cours. Et même quand elle s'asseyait pas loin de moi en classe, je pensais à elle comme si elle était pas là. De penser à elle, ça m'empêchait de penser à autre chose et souvent ça m'apportait des ennuis comme quand la maîtresse m'a surpris en train de dessiner un cœur sur le pupitre de Nadia (les autres ont bien rigolé). Même en cours de math où c'est vraiment pô poétique, je m'inventais des trucs bizarres...

En cours de travaux manuels, j'ai découpé un super beau portrait de Nadia dans du bois, mais le prof était furieux parce que ça ressemblait pô du tout à la voiture qu'il avait demandée. En gym, j'ai embrassé le ballon devant tout le monde (et ils ont encore bien rigolé).

J'étais dans un état plus que pas possible et ça se voyait de plus en plus...

Il fallait vraiment que je réagisse. D'abord pour arrêter de penser à Nadia comme ça et ensuite pour que les autres arrêtent de rigoler tout le temps. J'ai pensé que si j'arrivais à surprendre Nadia, j'avais une chance sur deux qu'elle s'intéresse à moi. J'ai pris le risque...

Nadia a plutôt choisi la deuxième chance : celle qui marchait pas. Et ça m'a pô du tout guéri de penser à elle. En plus c'est sûr que les autres ont encore bien rigolé.

2

Vers l'école, y'a un chantier. C'est génial ! C'est plein de coins bizarres où on peut se planquer pour jouer à la guerre des 39-18. Avec les copains, on adore y aller. Aucun adulte ne vient nous casser les pieds pendant qu'on joue parce qu'il y a tout simplement personne sur ce terrain. Une fois, on a trouvé un super bidon rouillé juste à notre taille. Il avait pas de fond ni de couvercle, et avec un peu d'élan, il roulait vachement bien dans la pente.

C'est Manu qui a été désigné pour essayer notre nouveau jeu.

Une autre fois, dans une vieille flaque de bouillasse, on a trouvé un gros morceau de polystyrène qui ressemblait vachement à une baleine blanche. On a joué aux chasseurs de baleines pendant dix minutes et puis on en a eu marre. C'est là qu'Hugo a repéré la brouette et qu'il nous a désignés Manu et moi pour l'essayer...

Après deux ou trois descentes, on était pô beaux à voir avec des égratignures partout. On allait forcer Hugo à monter dans la brouette pour lui montrer si c'était drôle, quand Jean-Claude nous a rejoints.
On avait trouvé des tas de produits marrants et c'est Jean-Claude qui les a essayés...

On a plein d'autres histoires de jeux hyper marrants qu'on a inventés dans cet endroit.

Mais pour une fois qu'on s'amusait bien, il a fallu qu'ils viennent construire un truc sur notre chantier...

3

Quand maman était encore enceinte de Zizie, elle avait un ventre énorme et complètement rond un peu comme si elle avait avalé la plus grosse boule du club de bowling. Un jour je suis entré dans la salle de bains pour lui poser les questions qui me trottaient depuis un bon moment dans la tête.

Je lui ai d'abord demandé quand arriverait le bébé. C'était assez facile comme question puisqu'elle a même pô réfléchi une seconde pour me répondre : « Dans un mois. »

J'ai bien insisté mais maman avait l'air absolument sûre que le gros ballon dans son bidon allait dégonfler. Et puis elle a terminé son maquillage et elle a rangé tous ses pinceaux dans sa trousse pour sortir de la salle de bains comme si j'avais plus de questions.

Mais moi ça m'embêtait plus que hyper beaucoup sa réponse qui voulait rien dire. Un ballon du ventre ça pouvait pas partir comme ça, pfffuit ! Sans tenir compte de la vie des autres ni de ce qu'ils en pensaient ! Non ! Eben si.

Ne pas me faire de souci ? Un peu que je m'en faisais du souci ! Toute cette histoire ça fichait pas seulement son ventre, mais aussi tout un immense projet à plat !

2.

4

Avant de m'endormir, j'essaie de préparer mes rêves. D'abord, je plante le décor. Ce soir-là, comme souvent, mon décor était Nadia. Toute seule au milieu de la cour, elle se faisait embêter par un grand hyper grand qui voulait on sait pas quoi mais on s'en fiche parce que ce qui compte c'est quand j'arrive.

Donc, cette fois-là aussi, je suis arrivé, et j'ai entendu Nadia dire « lâchez-moi » au sadique et des tas de trucs d'au secours et à l'aide. Elle avait visiblement très très peur et heureusement que j'étais pô loin parce que je sais pas ce qui serait arrivé sans moi.

J'ai fait des figures hyper sophistiquées pour mettre des coups au type et le type a pris des coups hyper sophistiqués sur la figure. Pour finir, il s'est enfui tout plein de sang en pleurant sa mère. J'ai dit une phrase classe du genre « je crois qu'il a compris la leçon ».

L'histoire était bien partie alors je me suis endormi...

J'étais pô loin de la bouche de Nadia quand l'image est devenue un peu floue. Tout à coup, Nadia ressemblait plus du tout à Nadia et j'avais beau me forcer à penser à elle, elle prenait de plus en plus l'apparence de Dumbo.

J'ai pô eu le temps de réagir que c'était déjà la pire catastrophe du pire cauchemar...

Le lendemain, quand j'ai vu Hugo à l'école, je lui ai demandé si cette mocheté de Dumbo avait vraiment le droit de se pointer dans mes rêves sans demander la permission.

Il a répondu que c'était le subconscient qui choisissait les rêves et qu'il y avait rien à faire pour le maîtriser.

Eben il a du bol, celui-là que je puisse pô le maîtriser !

5

Quand papa a un mercredi de libre, il arrive qu'il reste à la maison avec moi pendant que maman fait des trucs de filles dehors. Et vu qu'il travaille pas, papa a beaucoup de mercredis libres. Les mercredis, j'aime bien les passer devant la télé.

Dès que maman part en me disant de faire d'abord mes devoirs, je me mets devant mes séries préférées. Papa s'assoit parfois avec moi. En général, il demande ce que je regarde. Et souvent, je regarde *Mégakill Junior*. À chaque fois, il se met devant la série cinq minutes et il sort sa réflexion habituelle :

En plus, il comprend rien à ce qui se passe, alors il pose des tas de questions débiles. Il croit qu'un type s'est fait désintégrer alors qu'il a seulement été numérisé dans un logiciel over temporel, des trucs nuls comme ça. Au bout de cinq autres minutes, il trouve un nouveau truc hyper original à dire...

Après il s'arrête plus. Tout y passe : les décors trop compliqués, les types qui sont pas assez humains, la production trop japonaise, l'histoire trop je sais pas quoi. Et c'est lui qui dit « pauvre télé » ! Ce culot !

À la fin du film, quand je crois qu'il va plus rien trouver à dire, il y arrive quand même.

Je peux plus. Je peux plus, je peux plus, je peux plus. Y'a vraiment des moments où ça va trop loin. Et je suis pas le seul à craquer.

6

Monsieur Pourri, c'est le prof de travaux manuels.

En vrai, il s'appelle pas Pourri, mais on l'appelle comme ça parce qu'il a la bouche qui sent comme s'il avait mangé les poubelles où on jette les couches de Zizie. L'horreur.

Quand il vient nous parler, on doit se boucher le nez ou c'est la mort. Même si on a rien compris à ce qu'il fallait faire, on l'appelle jamais pour lui demander de nous expliquer parce que c'est du suicide.

En sortant de son cours, on a tous un peu envie de vomir. Et je vous parle pas de Vomito...

Un jour on en a eu marre. On a décidé de lui offrir du dentifrice pour Noël. On s'est cotisés pour acheter un tube spécial haleine fraîche et on l'a emballé dans du papier cadeau.

La semaine suivante, monsieur Pourri a trouvé son cadeau sur le coin de son bureau.

Il a eu l'air un peu surpris qu'on pense à lui faire un cadeau de Noël. Il a dit merci, qu'on était gentils, et il a commencé son cours. J'ai levé le doigt pour lui demander s'il ouvrait pas son cadeau. Il a répondu qu'il l'ouvrirait chez lui, le jour de Noël. Malheureusement il a ajouté :

Si j'avais pô posé la question, monsieur Pourri aurait pô non plus ouvert son cadeau, mais on aurait évité le pire. Je m'en suis un peu voulu d'avoir levé le doigt. Les autres aussi.

7

Il y a des matins moins faciles que les autres à la maison. Quand on voit la tête de papa au réveil, on a l'impression qu'il est passé sous un rouleau compresseur. La plupart du temps, il est le dernier à table pour prendre le petit déjeuner.

Maman le suit après avoir passé dix minutes assise dans son lit à regarder droit devant elle comme si elle connaissait pas sa chambre.

Au petit déjeuner, heureusement que les bols et les céréales sont lisses et colorés pour rattraper le reste du décor...

À la salle de bains, le spectacle est vraiment pô plus réjouissant. Papa se rase, maman se rajoute du noir autour des yeux et, inévitablement, papa se coupe et maman rate son trait et se balafre la paupière.

C'est là que leur humeur se précise vraiment...

Après, papa tente de nouer sa cravate pendant que maman lui parle de toutes ces annonces de travail dans le journal auxquelles il aurait dû répondre. Papa finit par dire à maman ce qu'il en pense avec des mots que je comprends pas toujours. Là, on peut considérer qu'ils sont mûrs pour une nouvelle surprise du matin...

Quand ils me déposent à l'école, je sens bien qu'ils sont nerveux à la façon dont les pneus de la voiture crissent quand on freine.

Alors après quand on me fait rencontrer l'orientateur professionnel à l'école, je sais pô trop quoi lui dire...

8

Les adultes s'imaginent toujours que leur vie est très très pénible et que la nôtre est très très facile. On voit bien que ça fait des siècles qu'ils ont pas mis les pieds dans une école.

L'école c'est violence physique et compagnie.

Quand Marco arrête de me faire des croche-pattes, c'est Hugo qui me tire sur le slip pour me le mettre sur la tête. Quand je crois que je vais être enfin tranquille, c'est le cours de gym qui commence...

À la sortie de l'école, c'est pô mieux. Les gros nazes qui nous attendent pour nous taxer sont hyper dangereux.

On a tellement les boules de les croiser en sortant qu'à la limite on préférerait rester dedans avec les croche-pattes...

Une fois, y'a même un petit de maternelle qui m'a donné un coup de pied au derrière. Cette chiure courait hyper vite. J'ai jamais pu le choper.

Déjà, supporter d'être torturé par des plus grands, c'est dur et par des plus petits c'est méga humiliant mais c'est pô le pire...

Si les filles s'y mettent aussi, ça va commencer à ressembler au monde à l'envers. Comme si c'étaient plus les garçons qui faisaient la loi...

Comme dit la fille docteur à propos de Brendan dans le feuilleton préféré de maman : « Quand on a vécu tout ça, on a sait plus où on en est. »

9

Son vrai nom, c'est Alexandre. Et c'est sûrement pas utile que je vous explique pourquoi on l'appelle Puduk'...
Puduk', on a même pô besoin de le regarder pour savoir où il est.

Il sent comme douze poubelles de couches de Zizie après qu'elle a mangé des épinards à la gluo-pourriture de poisson puant.

Il empeste, il chlingue, il dégage, il puduk'.

Le pire, c'est dans les vestiaires de gym... Celui qui est assis à côté de Puduk', pour survivre il est obligé de retenir sa respiration.

En cours de gym, le prof nous fait souvent faire des exercices à deux. Il compose les paires en nous désignant du doigt : « toi avec toi, et puis toi avec toi... ». Une fois son doigt s'est pointé sur moi, et a pivoté en direction de Puduk'. Malheur. Même Nike avait pô réussi à inventer des baskets assez étanches pour lui...

Tous ceux qui s'assoient à côté de Puduk' en classe finissent toujours par lui demander si il a pété. Au stade de puanteur de Puduk', on entre dans une autre dimension. Vomito n'essaie même pas de l'approcher. Des fois, avec les copains, pour se faire peur, on se raconte des trucs...

Ça dépasse vraiment tout ce qu'on peut imaginer comme puanteur. Même les scénaristes de films d'horreur ils oseraient pô mettre puduk' dans leur film de peur qu'il fasse fondre les cameras...

Ma mère, elle se rend pas compte...

10

De temps en temps, y'a Ray Charles qui vient racketter dans le préau. On l'a appelé comme ça parce qu'il est complètement myope. Mais bigleux à un point que même Ray Charles c'est rien comme nom à côté de notre taupe de racketteur.

Il a racketté tout le monde dans la classe. Il prend le fric et il balance un truc pour jouer aux durs du genre « tire-toi ». Pas une seule fois il s'est rendu compte qu'on lui fourguait toujours des billets de Monopoly...

Des fois, pour être généreux, on lui en donne même plusieurs. On sait pô s'il se rend compte de l'arnaque, en tout cas, il revient toujours.

Une fois, Vomito lui a même donné un coupon de papier-toilettes !

On pourrait croire que les types qui rackettent ça nous fait peur. Oui, mais pas Ray Charles. Ray Charles c'est devenu notre histoire drôle nationale. On se marre vraiment bien avec lui !

Du coup, quand le camion rempli de policiers est venu le chercher, on était un peu tristes. Alors on a décidé d'aller lui rendre une petite visite pour lui porter un cadeau...

11

Quelqu'un avait écrit « Titeuf je t'aime » sur le mur. Après une longue enquête, on en a déduit qu'il était possible que la maîtresse ait écrit ce message pour moi. Je sais pô comment vous auriez réagi à une nouvelle pareille, même si c'est qu'une supposition, mais moi, ça m'a mis une de ces dépressions, quelque chose de grand !

D'ailleurs je déprimais tranquille quand je me suis aperçu que quelqu'un me fixait depuis dix minutes. C'était une de ces bactéries de Maternelle.

Je pensais qu'elle avait compris mais non. Elle a pô bougé d'un poil et elle m'a dit droit dans les yeux et devant Manu : « Ze t'aime ». Le temps que je reprenne mon souffle, elle était devenue toute rouge avec les joues qui chauffent et elle a dit :

Et comme si c'était pas déjà assez la honte, elle a même rajouté : « Z'aime ta mèche rebelle ».

J'ai bien mis cinq minutes à reprendre une couleur normale.

Je me demandais tout haut ce qu'elles avaient toutes et qu'est-ce qu'elles faisaient de la différence d'âge, et c'est là que...

Les deux ! Les pires plaies de la honte du siècle de la mort m'étaient tombées dessus. Manquait que Dumbo et je pouvais m'enterrer pour toujours.

Déjà, là, c'était difficile de pô penser à un complot...

12

Avec Manu, on peut pas s'empêcher de regarder des débilités de feuilletons pour filles qui passent à la télé après l'école.

Cette fois-là, y'en avait un avec Vanessa Glamour qui jouait dedans. C'est surtout pour ça qu'on le regardait. On a pô été déçus. Manu lui trouvait une sacrée poitrine mais moi je savais qu'elle était siliconée à mort.

Je croyais que c'était la petite copine de Jim Lover, mais Manu m'a rappelé que c'était pô possib' puisqu'il était homosexuel.

En tout cas, le feuilleton était nul. Le type la draguait depuis douze épisodes et il se passait encore rien. Une vraie arnaque. Je me demandais pourquoi les producteurs se décidaient pô à tourner une scène intéressante.

Manu en connaissait mieux que moi la raison...

C'est quand même dingue qu'on puisse faire durer des nullités pareilles sur un écran pendant plus de cinq minutes sans que personne porte plainte ! Suffit d'un petit scénario minable et voilà ce qu'on nous fourgue. Sans compter que le film en lui-même serait moins grâve si y'avait pô ces acteurs...

Bref. Le showbiz c'est vraiment combines et gros sous.

Heureusement qu'il nous reste au moins la poitrine de Vanessa Glamour...

13

Me voilà dans la rue. Je vois pas les gens qui passent ni les voitures et même pô les chiens. Je fais rien d'autre que penser en marchant. Et je pense à une seule chose : mes cheveux. Ma mèche blonde à moi perchée sur ma tête. Et le cauchemar éveillé commence. Je me vois roux avec le casque gonflé.

Ensuite je m'imagine avec des piquants vert fluo comme les punks.

Je pense aussi à ma tête si on me coupait la mèche...

...ou si on me faisait des dreadlocks toutes feutrées comme les types qui fument du schmit.

Je pense à toutes ces hontes qui sont possibles rien qu'avec des cheveux et je flippe. Je continue à marcher et plus je m'approche du but, plus je panique. C'est ce qui va m'arriver et peut-être pire (si ça existe). En ouvrant la porte, je suis plus sûr du tout du tout d'avoir voulu ouvrir cette porte.

Et comme il vaut mieux pô faire n'importe quoi sans réfléchir (c'est ce que dit toujours papa), je préfère aller réfléchir beaucoup plus loin.

14

La grippe, c'est vraiment un des pires trucs quand ça vous tombe dessus. Y'a bien maman qui essaie de me réconforter un peu. Elle vient près de mon lit, elle me met la main sur le front et elle me demande si je veux bien « lui donner mon bobo ».

Si c'était possible, j'aimerais mieux le refiler à Jean-Claude ou à ce naze de prof de gym. Maman me fait boire des tisanes qui puent. Elle dit que, si on les boit bien chaudes, ça fortifie les anticorps. Les anticorps c'est une armée de types minuscules qui vont dégommer le virus. Tant que le combat dure, il faut leur donner des munitions.

C'est une sacrée bataille, les anticorps contre le virus. Ça chauffe drôlement entre eux. C'est pour ça qu'on a de la fièvre. Au bout de quelques jours, on sent bien que les anticorps gagnent grâce aux munitions de tisane. Et un matin, on est complètement guéri.

Je me souviens que quand j'ai guéri de ma dernière grippe, j'étais méga content de pouvoir me lever et d'aller retrouver les copains à l'école. J'étais de super bonne humeur et en pleine forme. Dans la cour de l'école, j'ai dit bonjour à Manu. Il m'a répondu : « T'es plus malade ? Tu tombes à pic ! »

Tout ça pour dire que mes anticorps c'est quand même des types hyper forts et des guerriers pô croyab'. Je tiens d'ailleurs à leur adresser ce petit message : à la prochaine bataille, les gars, tâchez de pô faire trop de zèle !

Table

tchô!
Le plus petit journal
mégagéant
de la planète !
CADÔ! 1 GIGA AVION
tchô!
33
le guide du monde mondial
LE TCHONAVION
CADÔ! La gluobouche
tchô!
31
tchô!
19
tchô!
28
L'ÉCOLE IDÉALE ?
QUI FAIT PEUR ?
BLATOZOR!
Les GLOBULZIEUX
GLOUBLEVARG
12 fr
3 FS
74 FS
2,5 C$
En vente en kiosque
A lire dans toutes les cours de récré

Rejoins la bande à

PAR BUCHE

3 albums parus

PAR SUPIOT & BAPTIZAT

3 albums parus

PAR DAB'S

2 albums parus

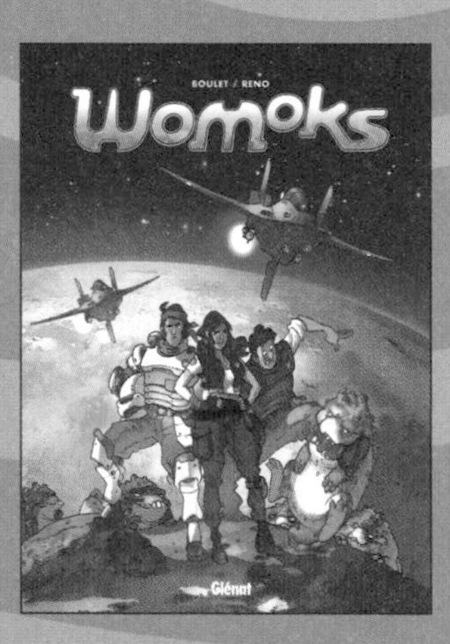

PAR RENO & BOULET

1 album paru

titeuf

En vente en librairie à lire
dans toutes les cours de récré...

PAR TEBO

3 albums parus

PAR TEHEM

4 albums parus

PAR BERTSCHY

2 albums parus

PAR BOULET

1 album paru

LA BIBLIOTHÈQUE ROSE

Mademoiselle Wiz,
une sorcière particulière.

Mini, une petite fille
pleine de vie !

Fantômette,
l'intrépide
justicière.

Avec le Club des Cinq,
l'aventure est toujours
au rendez-vous.

es héros grandissent avec toi !

Kiatovski,
le détective en baskets
qui résout
toutes les enquêtes.

Dagobert,
le petit roi
qui fait tout à l'envers.

Rosy et Georges-Albert,
le duo de choc
de l'Hôtel Bordemer.

Avec Zoé,
le cauchemar devient
parfois réalité.

Imprimé en France par ***Partenaires-Livres***®
N° dépôt légal : 40573 - octobre 2003
20.20.0754. 06/0 ISBN : 2-01-200754-6
Loi n°49-956 du 16 juillet 1949
sur les publications destinées à la jeunesse